# 大・魔・法

## RESET

# 搜・查・線

II

霖羯

陳浩基 原案

# CONTENT

人物介紹

## 尤金・布力克史密斯
### Eugene BlackSmith

警長，綽號大師，警局最資深
也最被敬重的成員。

## 亞杜夫・古巴
### Adolf Cooper

萬事科科長，乍看甩鍋王，但
其實非常八面玲瓏。

## 紅伯爵（追捕中）
### Count Vermilion

身分不明的六指連續殺人魔。
總是用混合暗魔法的火魔法把
人燒成焦炭。

## 雅迪妮絲・德布西
### Ardiles Debussy

警長，體質異常，雖六屬魔法皆可使用，但
很弱。心懷著躺平志向，卻被神祕人物丟到
萬事科二局。正被捲入麻煩事，心很累。

## 路希安・因格朗
### Luthien Inglorion

副警長，兒時曾被綁架，被尤金救出後由精靈
家族收養。崇拜尤金而當上警察，行事衝動，
嫉惡如仇。認真工作，看雅迪不太順眼中。

### 朗達·蘭多夫
Rhonda Randolph

弗雷克的部下，很崇拜上司。
對罪犯極其凶惡，皮鞭是她的
招牌。

### 肖恩·弗雷克
Shawn Fleck

一局局長，強大的人類魔法師，擅長冰魔法，
人稱「霜棘」。家族成員皆被紅伯爵所殺。

### 龐馬老伯
Plomer

反對濫殺獵捕聯盟發起人。和獵
人公會會長是死對頭。

### 愛達·歌登·拜倫
Ada Gordon Byron

甘布尼亞王國的國民歌姬，半精靈。擁有宏亮
的歌聲，深受全民喜愛。預計將在收穫祭歌唱。

### 希斯頓·亨特
Heston Hunter

獵人公會會長。為了賺錢，不論
有害無害都把魔獸野獸殺光。

請問布力克史密斯警長在嗎？

我來傳遞弗雷克局長的訊息。

我就是，你是來送昨天凶殺案的報告嗎？

不是的。

今早獲報，青蛙旅館發生凶殺案，請警長前往協助調查。

你們來了。

紅伯爵的案件大多都這樣。

這就是他難纏的地方。

不但殘暴還悄無聲息，

他會躲在暗處偷襲，將火焰瞄準被害人脖子。

破壞發聲器官再從那裡開始延燒，

將活人化為黑炭只需不到一分鐘。

既然是黑炭，要怎麼確定這兩具屍體身分？

因為特徵很明確。

薩伊頭上有獨角，附近出沒的魔族都沒有類似的特徵。

義肢的殘餘金屬零件上也確認了工坊編號，確實是龐馬使用的那隻。

龐馬先生則是右腳以下截肢，

昨日斯巴廣場的屍體就沒那麼走運了，

目前只能推測是流浪漢。

窗戶的鎖本來就故障了，外面有旅館加蓋的倉庫。

是的，請看這邊。

窗戶？

員工表示梯子本來就被隨意放在倉庫附近，很容易攀上二樓。

我以後絕對不住廉價旅館。

那龐馬先生來這裡找魔族商人的理由呢？

不清楚。

紅伯爵會大費周章爬到二樓殺人嗎？

他的行動毫無章法可言，不能排除這個可能。

因為龐馬先生沒有親人，昨日抗議活動散會後就沒有人知道他的行蹤了。

不過有報告指出，他們兩人前天有在市集上見過面。

居然連這種小事都紀錄在案，你們在跟監龐馬嗎？有點不合規定吧？

這……

畢竟龐馬先生很……呃……有名……？

被紀錄的不是龐馬，而是魔族商人。

我們收到情報，有魔族商人違規販售有強大破壞力的魔法物品。

所以我要底下的人注意是否有可疑的接觸。

畢竟收穫祭快到了，不能有任何閃失。

26

也就是把人家當作潛在的恐怖分子。

看來一局對龐馬老伯的態度負面多了啊。

就算不是什麼違規魔法道具，退休獵人想向魔族商人購買戰斧，這已經足夠可疑了。

不，這點不能確定吧？

早上沒人出現，這段期間也只有龐馬現身。只能推斷他就是買家。

半夜來也太不符合常理了！

也許是為了掩人耳目。

那打從一開始就不會約白天。

旅行商人都很警覺，要是約半夜……

……

……

不…抱歉離題了。

只是一想到這件事會被獵人公會拿來大做文章，我就有點……

太好了，看來趕上了。

你們回來啦?

呦,辛苦啦。

因此工作人員比我們辛苦多了。

看來得用馬車裝回去了。

有發生什麼事嗎?

和平得很。

我甚至看到幾個常進局子的流氓,油頭粉面一臉羞澀跑來獻花。

哇喔。

你那邊呢?

麻煩透了。

反正站崗很閒,你慢慢說。

好遠！

兩位是西邊農村的居民嗎？

是哪！不然還會

魔獸殺了西邊農村的牲口！

西邊！

我們家在那裡。

艾美通常只在附近的河邊玩，但最近會跑到遠一點的森林去。

要說是人幹的，哪有神經病沒事殺著牛玩？

兩頭牛都被割斷了喉嚨，如果那是爪痕，魔獸鐵定大得嚇人。

奇怪的是牛既沒被拖走、也沒被吃掉。

那腳印的形狀大小呢？

沒有，毛都沒有。

說這麼多你們到底要不要找人啊！牛的事通報一局了，用不著操心！

兩位警官，那裡。

那就是紅葉森林，

有鄰居稍早在森林入口看到艾美。

由我們進森林。

請別進去，太危險了。

你們若想搜索，請在村莊附近找，千萬別進森林。

我本來想立刻烙人衝進去找，但偏偏媳婦攔著，堅持先去報案！

看你問了這麼多牲畜被害的事，和女孩失蹤有關嗎？

本來覺得可能有，現在不覺得了。

怎麼說？

不重要啦，比起這個，你身為本地人，對紅葉森林的魔獸主動出來攻擊人有什麼看法？

嗯……很難想像。

這裡最危險的魔獸也不過就獨眼狼。

牠們紀律與地域性都很強，只會對地盤內的獵物產生攻擊性……

！！

咻 咻 咻 咻

火球連發的速度好快！

可是威力好弱！還打不中

路希，

等我提示，就朝那個方向跑。

聚集鬥氣別放出去，我會幫你指示目標。

也就是說，這兩隻是……

沒錯，是狼王和狼后。

牠們不會參與進攻而是躲在暗處，正因為獨眼狼紀律性強，只要失去領袖就無法繼續行動了。

你剛剛火球亂射一通，就是為了找狼王的位置？

差不多吧。這麼貧弱的火球，也就只能嚇唬野獸和照明了。

都被你評級不高騙了。

用這麼多魔法卻一句咒語都不用念，不是很厲害嗎？

停停停。

不念咒這種事只要熟練，誰都能辦到了，我用我自己開發的魔法沒理由不熟練吧？

你還自己開發魔法！

都說不是你想得那樣！

烏鴉嘴……

……

那是艾美嗎?

應該是。

等等，你想幹麼!?

當然是去救他啊。

你瘋了嗎!?

你以為龍個頭大就很遲鈍嗎？這麼近的距離就跟從龍嘴裡掏東西沒兩樣！

不然怎麼辦？

你要對一個小女孩見死不救嗎？

聽著，沒人能從一頭龍面前逃走。

沒有！

如果我們全死在這裡，誰回去通知總督？

那也沒有辦法。

你知道一座城市若在毫無準備的情況下被龍襲擊，得死多少人嗎？

這已經不是案件了，

是帕加馬的存亡危機！

沒人能從
龍面前逃走——

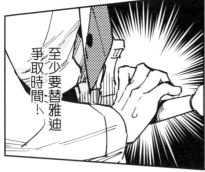

至少要替雅迪
爭取時間！

你……

馬上帶艾美離開，這是長官的命令。

快去！

明明早就決定，只做能力所及的事情。

可惡……

FILE:9
霍桑大叔

而且是藍色的！
是比較沒用的
警察叔叔！

天真

無邪

是那一家的
孩子沒錯。

沒用

沒用

愚蠢的問題。

哼，

雅迪，龍⋯⋯
會說話嗎？

這⋯⋯

86

小艾美是第一個可以好好和我說話的人類，我的名字對他來說好像有點難發音。

可惜年紀太小了，

還記得叔叔的名字嗎？

傘王霍桑！

所以…您現在完全沒有與人類為敵的意思囉？

我本來就對戰爭沒什麼興趣，還吃素咧。

三十年前與夥伴聯手，

還被你們那個聖騎士打得滿地找牙時——

「只要發誓不再協助魔王軍，我就饒你們一命。」

我就下定決心退休隱居了。

我氣你把人命放在天平上衡量，但我做的明明也是一樣的事情，

所以，對不起。

我一直覺得，

……

只要認命，只挑「我這種人」能做的事情做，

不去幻想自己有什麼可能性，

就不會再後悔了。

發生什麼事了嗎？

我們回斯巴廣場時又有一批送禮人潮。

有一個愛達小姐拿在手中的禮物突然燒起來。

愛達小姐沒事嗎？

沒事，小道第一時間把盒子搶過去了。

但他為了不波及群眾，硬是抱著盒子撞開人群，到人少的地方才放手。

多少受了一些燙傷。

這該不會是小白吧？——請節哀

不要說這麼可怕的話！

不…不是啦！體型不一樣。

事件元凶是盒子裡的這東西——魔爆石。

它可以儲存魔法，

使用時還能藉由注入的魔力量，操控啟動時間。

各方面來說都是很危險的道具。

弗雷克局長好像說過，有魔族商人違規販售的強力魔法物品……

想必就是在提防類似的東西。

因為只在黑市流通，很難追查來源。

有看到犯人嗎？

愛達小姐捧著盒子一段時間才燒起來，犯人早就沒影了。

而且也有可能是花錢請小孩送的。我們不會讓大人太靠近

哎呀哎呀！

要是影響到明天的表演，我絕對向所有媒體控訴二局警察有多麼無能！！

總之，愛達小姐現在相當沮喪。

請不要這樣！我這就全裸下跪去向愛達小姐道歉！

你還想造成愛達小姐更多心理創傷嗎！

116

FILE:10
勇氣的贈禮

「是不合時宜的雨水，與焚燒莊稼的煙硝啊，」

好厲害！《瓦倫坦騎士》裡我最喜歡這段了！

謝謝捧場。

「我的騎士。」

賭對了！王都最受歡迎的戲劇no.1！

我果然沒看錯！你就是和羅蘭先生一起表演的那個姐姐！

對，是我……

好美喔。王都的夜晚也有很多燈光，但這裡更不一樣。

很棒吧？我第一次看也嚇了一跳。

也看得到矮人區和精靈街呢！每個地方燈火搖曳的方式都不一樣。

斯巴廣場的雕像也……

……

就算你被人家稱作什麼勇氣的歌姬，也不是非得一直表現得很有勇氣不可喔。

⋯⋯

不是的⋯⋯

大家都很體貼，沒有人強迫我。

無論眼前阻礙多高，我都決定要繼續唱下去。

治癒魔法有種溫暖的感覺，對吧。

每當我沮喪的時候，母親都會這麼做。

治療的魔法？

聽我說，愛達。

你在看這個嗎？

啊…嗯！很漂亮呢。

這是爸爸給我的勇氣喔。

仔細想想，爸爸做的事和令堂一樣呢。

我懷疑過自己的聲音。害怕舞台、害怕別人的目光。

真的很長一段時間，我只要帶著這條項鍊就不再怯場了。

當時還在當冒險者的爸爸就把這個護身符給了我。

「這個護身符讓爸爸有勇氣對抗惡龍，一定也會給你勇氣的。」

非常、

非常得意的樣子喔。

羅蘭先生每次提及自己女兒時，

都是帶著炫耀般的語氣，

……

FILE:11
----------------------------------
收穫祭
----------------------------------

唉……明明是收穫祭。

假放到一半就被叫回來支援。

風信子會堂到底關我們啥事？

好像是王都來的新警長臨時決定的。

那個沒存在感的眼鏡仔

哼，以為他下放邊疆躺平，這麼急著立功？

還拿我們的休假獻祭

風信子會堂——
露天歌劇院

和總督府衛兵協調後的結果，我們二局以疏導群眾的名義在外圍提供協助。

古巴則幫我們調來了八位巡警當人手。

馬車停放處

馬車停放處

路希

小道

人員分配大致這樣。

大師&雅迪

我們要找的人很可能攜帶魔爆石，

這種大型活動給所有參加者搜身太不現實。

然後通報衛兵，說對方疑似攜帶違禁品。讓他們去搜身！

我們這次搜查權不足，發現可疑傢伙就拖住他。

有人抗議就叫他找我們科長談。

反正他們也找不到

是！

噗！

甩鍋！

人員配置很極端，有什麼理由嗎？

因為側門是開放給步行的一般民眾。

若有人想硬闖，人多比較有威嚇力。

總督夫婦

麥坎·史坦尼·沃伊特大法官

獵人公會
亨特會長

魔法工會長老
紐雅娜·赫拉達女士

二局局長
派斯

禾特拉卡家族

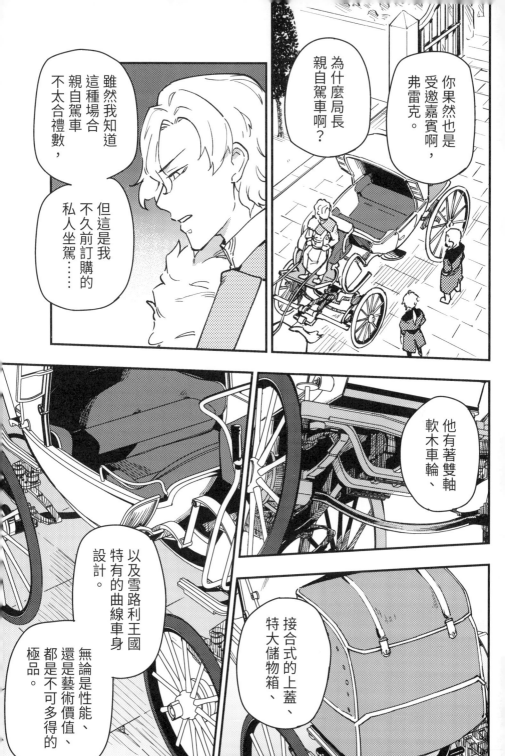

你果然也是受邀嘉賓啊，弗雷克。

為什麼局長親自駕車啊？

雖然我知道這種場合親自駕車不太合禮數，

但這是我不久前訂購的私人坐駕……

他有著雙軸軟木車輪、

接合式的上蓋、特大儲物箱、

以及雪路利王國特有的曲線車身設計。

無論是性能、還是藝術價值，都是不可多得的極品。

我實在不想將他初次亮相的駕駛權讓給其他人。

原來弗雷克局長是馬車控！

表演應該要開始了吧。

喂！那邊的！

潘恩獄長有經過這裡嗎？

潘恩獄長？他有來嗎？

統統交給一局就好了！

應該有吧，有人見過他。

風信子會堂——
會議樓。

一樓禮堂

不是吧……

是他。

那個人不是被捕了嗎？

難道⋯⋯

這件事尚未公開，請不要聲張。

通報下去，出現了極度危險的連環殺人犯！

封鎖風信子會堂所有通道，可疑分子一律扣押！

是！

遠處好像有什麼東西爆炸了。

怎麼了？

愛達小姐，在衛兵搞清楚發生什麼事情前先回後台吧。

愛……!!

FILE:12

**消失的歌姬**

紅伯爵的問題先不論，恐嚇愛達小姐的犯人恐怕就是——

雅迪！

愛達不見了。

怎麼了嗎？

會場內的衛兵傳來消息，

愛達在準備下一曲的幕間從舞台上消失了，

舞台後面的議會樓好像還發生了小爆炸。

現在衛兵那邊也下達了禁止進出的命令，

應該很快就有人來守住門口了，要到會場內搜索嗎？

不。如果我沒猜錯的話，犯人他……

請開……

開門……

呃……
這個嘛……

哇——
怎麼辦啊——

回來得超級不是時候啊！

那個……

你是來支援的二局吧？

附近出現了殺人犯，來幫忙守住大門！

為什麼有殺人犯！不是來抓恐嚇愛達小姐的變態嗎！

你們倒說話啊！是你們上司下令的耶！

怎麼啦！為什麼還不開門！

那個……

附近好像出現了殺人犯，所以……

那不是更該快點讓我們回家嗎？出了什麼事你擔得起嗎！

可是……這個嘛……

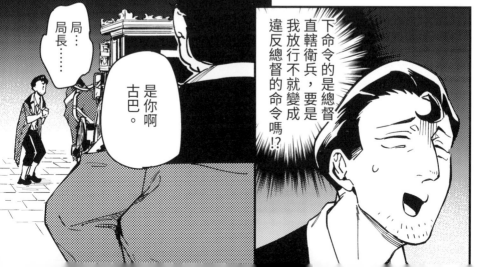

下命令的是總督直轄衛兵，要是我放行不就變成違反總督的命令嗎!?

局……局長……

是你啊古巴。

咿！

對面沒有座位……

好好好，失禮了。

發什麼呆啊！快檢查啊！

米切爾先生，可以打開你座位下的儲物箱給我看看嗎？

卻有個奇怪的空間。

呿！

既然如此，我就有吟唱的義務——

胸口的烏雲散開了。

果然，你給我的勇氣是存在的。

你搞錯了，綁匪先生。

你只是個可悲的膽小鬼，對何謂真正的勇氣一無所知。

堅強不代表不會害怕。

真正會將人擊倒的，不是失去容貌、歌聲、生命，

而是失去勇氣本身。

別跑！

追！
快追！

我真的什麼都不知道啊！

你還好嗎?
有受傷嗎?

沒有!

深呼吸,
慢慢平復
心情就好。

真的
很謝謝你!
我以為…
我還以……

抱歉啊,
讓你經歷了
這麼可怕的事。

就是說啊,

我快嚇死了。

要麼不動,
要麼爆衝,
你這家伙的
行動力只有
零和一百嗎?

那是……

緊急情況……

說什麼
看好馬!

要是我沒想透澈
被火球嚇死的馬
是不是就帶著
愛達撞牆!

愛達小姐!

耳朵好痛……

是!
非常抱歉!

194

居然朝馬車上丟這麼強的火魔法，你是想把愛達小姐和犯人一起燒死嗎？

啊……那個啊。

多虧二局有豐富的藏書，我一眼就看出來了。

愛達身上的不只是護身符，還是守護石中最上位的火屬性守護結晶。

世上沒有任何火焰能傷害到他。

可是……爸爸說，這條項鍊能讓他有勇氣面對火龍……

火抗＋999

完全是直白的大實話呢。

就算給我守護結晶也不覺得打得贏火龍……愛達的父親是很厲害的冒險者呢。

原來……是這麼貴重的東西。謝謝你，爸爸。

我們會抓到犯人的。

辛苦了。

謝謝你們。

我們就先回去了。

剛才太精采了，德布西警長。

沒想到你是這麼厲害的火魔法使。可以說說你是怎麼確認綁架犯身分的嗎？

因為霍桑大叔的鱗片吧。

火魔法的部分

局長知道風信子會堂和露天劇場底下有密道相通這件事嗎？

湊巧啦。

就是因為霍桑大叔的鱗片。

在一些文件裡看過，但年久失修，現在沒在用了。

就在舞台正下方喔。

密道其中一個出口，

我到風信子會堂維持秩序時，剛好撞見米切爾從密道出來。

我跟隨他的蹤跡到一個應該是舞台正下方的空間。

別看他傻傻的不太會講話，他可是個非常厲害的火魔法使喔！

加上獵人公會的活動是在他提議下才改到風信子會堂，看來預謀已久了。

今年改到這裡集會也是他提議的。

就憑這點嗎？

那裡有密道其實不算什麼祕密喔。

歷史愛好者、租借過會場的大概都會知道

當然最關鍵的就是——

我去那裡時不小心踢倒了一袋石灰。

因此米切爾的褲管、馬車上都沾到不少白色粉末。

畢竟擄走愛達時可不能點燈，所以才沒發現吧。

要不要來我們一局？

我們需要像你這樣無論台前幕後，都獨當一面的警長。

！

報告！

犯人……

跳進德勞斯河，不見了！

好機會！不對……你們這些衛兵真是丟總督閣下的臉！

古巴！把所有二局休班的警員都叫來！

什麼！

這個變態就交給我們二局繩之以法！

是！

啊……等等…局長！

這裡交給各位就綽綽有餘了。

請德布西警長務必考慮一下我的提案。今天就先……

請等一下，弗雷克局長。

紅伯爵出現了。

在會堂大樓那邊，死者是潘恩獄長。

這附近就先拜託你們了。

我立刻回一局調派人手，

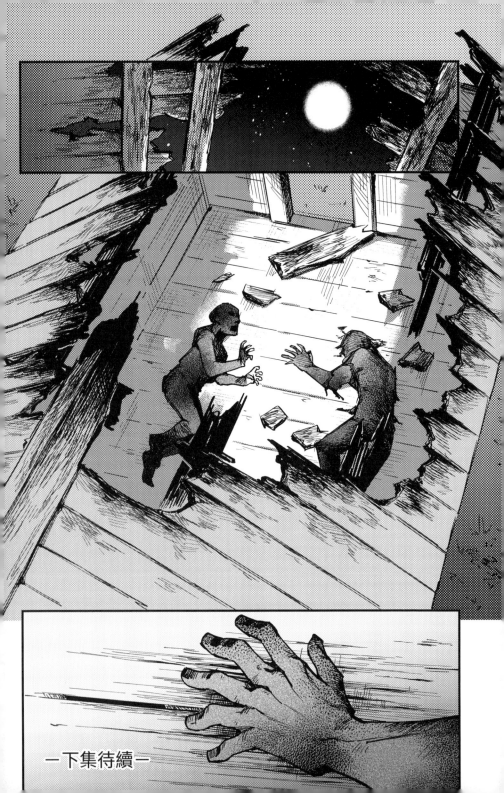

－下集待續－

# Extra:2

~~FILE~~

----------------------------------

警察的職責

----------------------------------

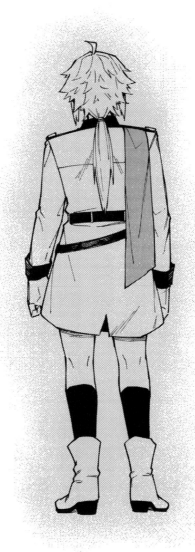

原來如此……

這樣就說得通了。

雅迪果然厲害！從這麼多看似無關的線索中理出頭緒！

阿普頓那已經打草驚蛇了，要是不快點行動我怕他會潛逃。

壞消息是？

我沒法掌握阿普頓的行蹤，可能會和他撞個正著。

畢竟一個人搜查能力有限

這棟位於貧民窟的廢屋很可能就是他製造爆裂物的工作室，

好消息是這是廢棄房屋，我們不須搜查令就可以調查。

不就正好逮個現行犯,哪有什麼問題。

可是,這樣好嗎?

這種東西不是一朝一夕就能改變的。

沒辦法,他就是對我有偏見,

你不是想向警長證明自己?

拉上我們一起的話,警長不會承認是你的功勞吧?

只要你們能證明我是對的,久而久之他也會願意聽聽我的想法吧?

警察的任務是守護市民。

只要能做到這點,我不用成為逮捕罪犯的那個人也沒關係。

而且我一個人的確逮捕不了犯人啊……對不起我只是個戰鬥力只有五的渣渣

就是這裡吧？

這怎麼看都違建了吧。

在木造結構裡搞爆裂物，算他有種。

那雅迪你留在這裡把風吧。

咦？

也說……
是得

你自己都說了，要是犯人真的在裡面……

戰鬥就交給壇長的人去就好了！

他可能設置了魔爆石之類的陷阱，一定要小心喔！

知道了！

沒問題……吧？

沒錯，潔希卡是鐵色級的戰士、馬丁是參祭級的水法師，

不會有問題的！我只要相信就好。

就算是半吊子的我，也有可以做到的事！

約克探員供稱，這次搜查行動是你主導的。

……對。

我瞭解了。科長要你休假，剩下就交給其他同仁處理。

請問…馬汀怎麼樣了？

他還好嗎？

他死了。

青少年犯罪科

你們這些條子懂個屁！

出來混講的就是一個義氣！

不管你們怎麼拷問，林杯都不會把兄弟供出來的！

先不管你知不知道「拷問」這個詞的意思，你有沒有想過你就是被背叛了才會坐在這裡？

我就是要詛咒那個臭婊子怎麼樣！

我都查過了，黑暗魔法不犯法，你別想唬我！

你搞的那一齣叫做三流恐怖舞台劇布景。

還有黑暗魔法雖然不犯法，但把雞血灑在別人頭上算。

你們這些警察還不是靠爸爸的稅金養，有什麼了不起！

要是得罪我爸，小心丟掉工作！

喔？

雅迪妮絲·德布西

咿——！

那你爸爸有沒有告訴你，得罪貴族有什麼下場啊？

那個新來的雖然年輕，但還滿會嚇小孩的嘛。

會賣幾尺破布就做不了生意，這麼囂張，你爸再也不生氣做好心讓

信不信我讓

好像還是個警長，到底做了什麼才升職升得這麼快啊？

聽說爆炸魔就是他抓到的。

嗳，這麼厲害的人怎麼會被調來管小孩？

好像只是在後面出張嘴叫同事去送死，

自己躲在安全的地方坐享其成。

真的假的！

為什麼這樣的人還可以升官啊？

啊！我知道了，那個什麼……明升暗降？

對啦對啦，是我也不想要這種部下，乾脆塞個職位讓他安分點。

因為是貴族不好翻臉吧？

跑走～
鬼老～
科長！
呀！

難怪會調來我們這，再坑也不怕他坑出人命。

再繼續上班聊八卦，我就讓你們知道這工作是不是真的不會出人命。

一個人能做到的事，是被才能和身分決定的。

不要再來了。

自身的失敗有時還會讓別人替你付出代價。

我不想再讓這種事發生第二次。

那很遺憾，你可能要離開這個最適合你的地方了。

？

只要離開王都，聽過「德布西」這個姓氏的人應該會變少吧。

明天出發。

調職信？

太快了吧！

先試看看擺脫標籤的自己能做到什麼地步，再來看破紅塵也不遲啊。

你還年輕。

還以為他是想懲罰給家族蒙羞的女兒，才要求我把那孩子發配邊疆的。

貴族家庭都親情淡薄果然是偏見呢。

帕加馬……

完—

# NAZOMAN 23

# 大魔法搜查線 RESET　Ⅱ

作　　　者／霖羯（漫畫家）、陳浩基（原案）
漫畫助手／姜君

首　　　發《CCC創作集》　　　　　單行本製作
企畫編輯／CCC創作集編輯部　　　責任編輯／詹凱婷
責任編輯／張祐玟　　　　　　　　行銷企劃／徐慧芬
製　　　作／文化內容策進院　　　　行銷業務／李振東、林珮瑜

總 經 理／謝至平
榮譽社長／詹宏志
出 版 社／獨步文化
　　　　　城邦文化事業股份有限公司
　　　　　105台北市南港區昆陽街16號4樓
　　　　　電話：(02) 2500-7696　傳真：(02) 2500-1967
發　　　行／英屬蓋曼群島商家庭傳媒股份有限公司
　　　　　城邦分公司
　　　　　105台北市南港區昆陽街16號4-8樓
網　　　址／www.cite.com.tw
讀者服務專線／(02) 2500-7718；2500-7719
服務時間／週一至週五　09：30 ～ 12：00
　　　　　　　　　　　13：30 ～ 17：00
24小時傳真服務／(02) 2500-1900；2500-1991
讀者服務信箱E-mail／service@readingclub.com.tw
劃撥帳號／19863813
戶　　　名／書虫股份有限公司
香港發行所／城邦（香港）出版集團有限公司
　　　　　香港灣仔駱克道193號東超商業中心一樓
　　　　　電話：(852) 2508-6231　傳真：(852) 2578-9337
馬新發行所／城邦（馬新）出版集團　Cite (M) Sdn Bhd
　　　　　41, Jalan Radin Anum, Bandar Baru Sri Petaling,
　　　　　57000 Kuala Lumpur, Malaysia.
　　　　　Tel: (603) 90578822　Fax: (603) 90576622`
　　　　　email:cite@cite.com.my

封面設計／高偉哲
排　　　版／高偉哲
印　　　刷／中原造像股份有限公司
□ 2024年（民113）11月初版
售價340元